A ma mère,
Nell Orum Stoll Jones

Février 2007

Editions Mijade
18, rue de l'Ouvrage
B-5000 Namur

Titre original : Mouse Paint
Harcourt Brace Jovanovich (New York)

ISBN 978-2-87142-588-5 (Album)
D/2007/3712/07

ISBN 978-2-87142-399-7 (Broché)
D/2005/3712/22

Imprimé en Belgique

Ellen Stoll Walsh

Trois souris peintres

Mijade

Il était une fois trois petites souris blanches
sur une feuille de papier blanc.

Bien sûr, le chat ne les voyait pas.

Un beau jour, pendant que le chat dormait,
les souris blanches voient trois pots de peinture :

un rouge, un jaune, un bleu.

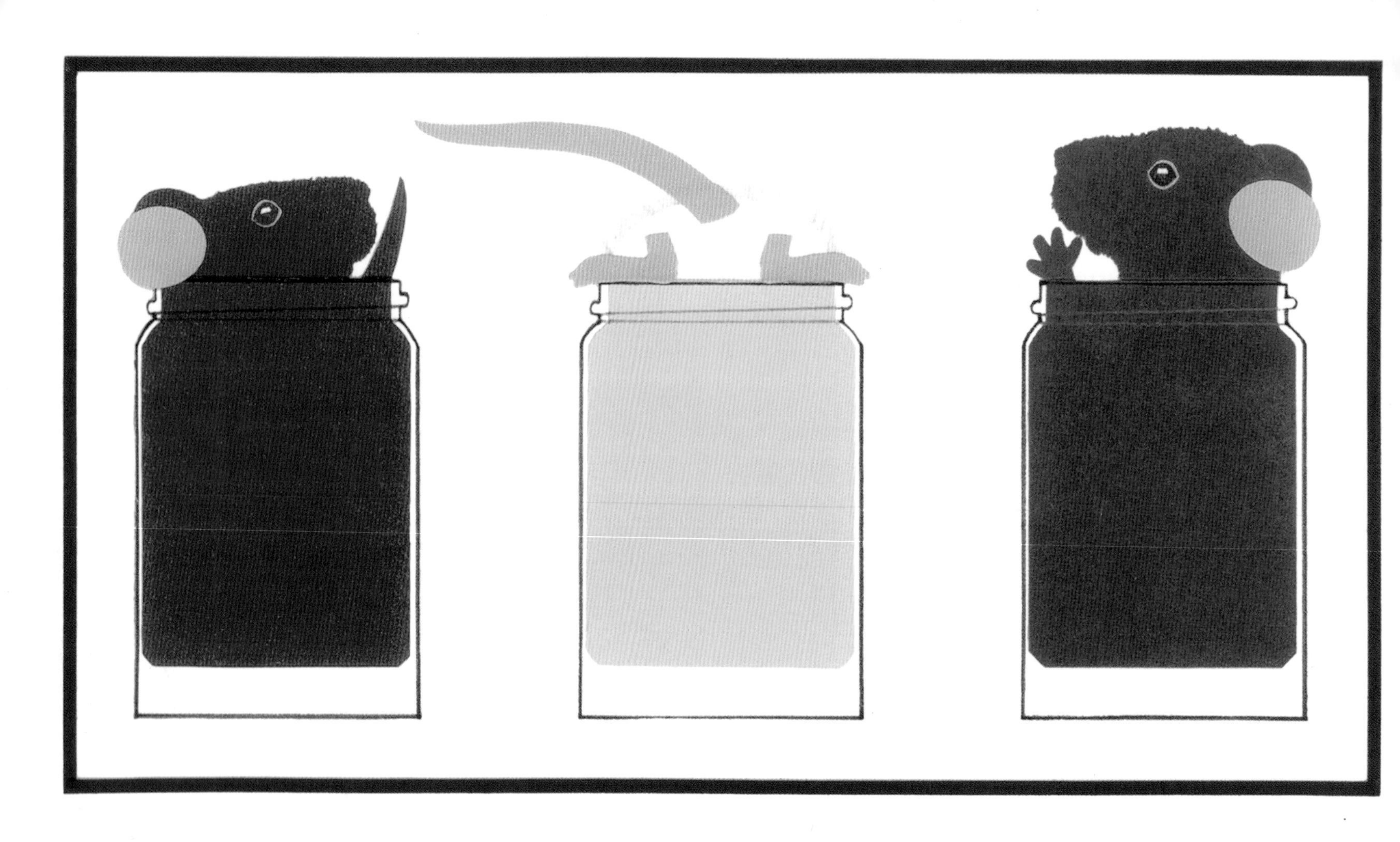

«Comme c'est beau!» se disent-elles.
Et chacune saute dans un pot.

Quand elles en sortent, il y a : une souris rouge, une souris jaune, une souris bleue…

Sur la feuille de papier,
des gouttes de peinture ont coulé.

Sur le blanc, on voit de jolies taches rouges,
jaunes et bleues.

La souris rouge se met à danser sur une tache jaune.

Ses pattes dessinent mille raies rouges…

Et puis soudain, elle dit aux deux autres souris :

- Regardez ! Mes pattes rouges dans une tache jaune, cela fait de l'orange !

La souris jaune saute sur une tache bleue.

Ses pattes s'agitent et mélangent les deux couleurs…

Soudain, la souris rouge et la souris bleue s'écrient:

- Regarde ! Tes pattes jaunes dans une tache bleue,
cela fait du vert.

Enfin, la souris bleue saute sur une tache rouge.

Elle éclabousse la feuille, danse, patauge…

Et les trois souris s'écrient :

- Regardez! Des pattes bleues dans une tache rouge,
cela fait du violet.

Sur leurs pattes et leur fourrure, la peinture
commence à sécher. Les souris deviennent toutes raides.

Alors elles prennent un bain dans l'écuelle du chat
et redeviennent blanches comme de la neige.

Ensuite, elles s'amusent à peindre la feuille de papier:
une bande rouge,

une bande jaune…

et une autre bande bleue.

Puis elles mélangent de la peinture rouge et de la peinture jaune pour faire une bande orange,

de la peinture jaune et de la peinture bleue
pour faire une bande verte,

de la bleue et de la rouge pour faire une bande violette.

Mais elles n'oublient pas de laisser un peu de blanc
à cause du chat!